# Ná heitil chuig an ngealach le Apollo 13!

Tá mí-ádh ag baint leis an uimhir 13!

Scríofa ag
## Ian Graham

Maisithe ag
## David Antram

Cruthaithe agus deartha ag
## David Salariya

Leagan Gaeilge le
## Máirín Ní Mhárta

# Seachain

Futa Fata

# Clár

# Réamhrá

Aibreán 1970 atá ann. Is spásaire Meiriceánach tú atá ar tí dul isteach i **spásárthach**\* chun eitilt chuig an ngealach. Tá tú i mbun traenála le blianta fada chun páirt a ghlacadh sa mhisean seo. Chonaic tú beirt de chriú an Apollo 11, Neil Armstrong agus Buzz Aldrin, ag cur cos ar an ngealach i mí Iúil 1969. B'iad na chéad daoine riamh iad a shiúil uirthi. Chuaigh Charles Conrad agus Alan Bean ann ina ndiaidh ar an Apollo 12 i mí na Samhna na bliana céanna.

Anois tá tusa ag dul ann. Tá tú ar dhuine den triúr criú a bheidh ar an Apollo 13. Tá daoine ann a cheapann go bhfuil mí-ádh ag baint leis an uimhir 13. Go deimhin, beidh mí-ádh mór ar mhisean an Apollo 13. Ar do bhealach chuig an ngealach, tarlóidh drochthimpiste don **spásárthach**. Beidh sé chomh dona sin nach mbeifear cinnte an mbeidh sibh ábalta filleadh ar thalamh an Domhain. Braithfidh sé sin ar na céadta innealltóirí ar an talamh a bheidh ag déanamh a ndíchill chun sibh a thabhairt slán. Níor mhaith leat a bheith ar an Apollo 13!

\*Tá míniú i gcúl an leabhair ar gach focal a bhfuil **cló trom** air.

5

# Ag dul i gcleachtadh

Cleachtann an criú gach uile rud a bheidh le déanamh agaibh ar an misean. Déanann sibh arís agus arís eile é go mbíonn sé de ghlanmheabhair agaibh. Bíonn sibh ag traenáil in **ionsamhaltóirí** a bhreathnaíonn díreach cosúil leis an **spásárthach** féin. Coinníonn na **rialtóirí misin** in bhur ndúiseacht sibh le neart eachtraí éigeandála. Is bealach é seo chun foghlaim conas dul i ngleic le rudaí a tharlaíonn gan choinne. Má tá tú chun botún a dhéanamh, is fearr é a dhéanamh san **ionsamhaltóir** ná ar an mbealach chuig an ngealach! Faoin am a thiocfaidh lá na lainseála, ní mór duit aithne an-mhaith go deo a bheith agat ar an spásárthach agus fios a bheith agat céard a bheidh le déanamh agat.

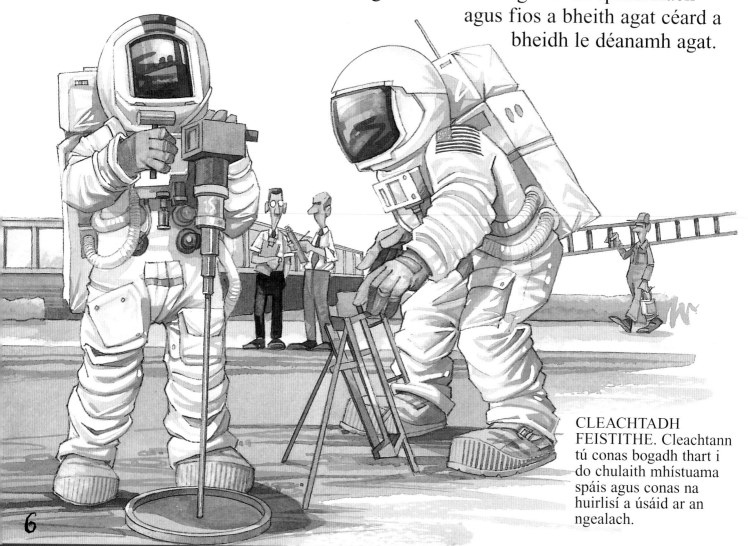

CLEACHTADH FEISTITHE. Cleachtann tú conas bogadh thart i do chulaith mhístuama spáis agus conas na huirlisí a úsáid ar an ngealach.

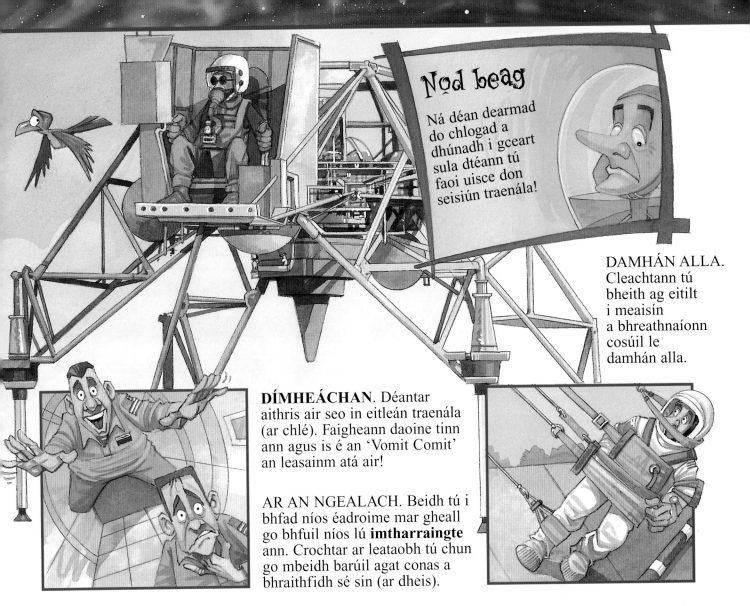

**Nod beag**

Ná déan dearmad do chlogad a dhúnadh i gceart sula dtéann tú faoi uisce don seisiún traenála!

DAMHÁN ALLA. Cleachtann tú bheith ag eitilt i meaisín a bhreathnaíonn cosúil le damhán alla.

DÍMHEÁCHAN. Déantar aithris air seo in eitleán traenála (ar chlé). Faigheann daoine tinn ann agus is é an 'Vomit Comit' an leasainm atá air!

AR AN NGEALACH. Beidh tú i bhfad níos éadroime mar gheall go bhfuil níos lú **imtharraingte** ann. Crochtar ar leataobh tú chun go mbeidh barúil agat conas a bhraithfidh sé sin (ar dheis).

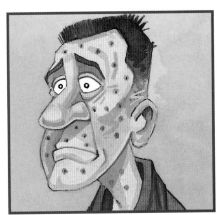

FAOIN UISCE. Cleachtann tú siúl sa spás in umar mór uisce (ar chlé). Tá siúl faoi uisce an-chosúil le siúl ar an ngealach.

TINNEAS. Tá baol ann go bhfuil an bhruitíneach dhearg tolgtha ag duine den chriú. Níl cead aige imeacht. Dhá lá roimh an lainseáil, tagann duine eile ina áit.

# An spásárthach Apollo

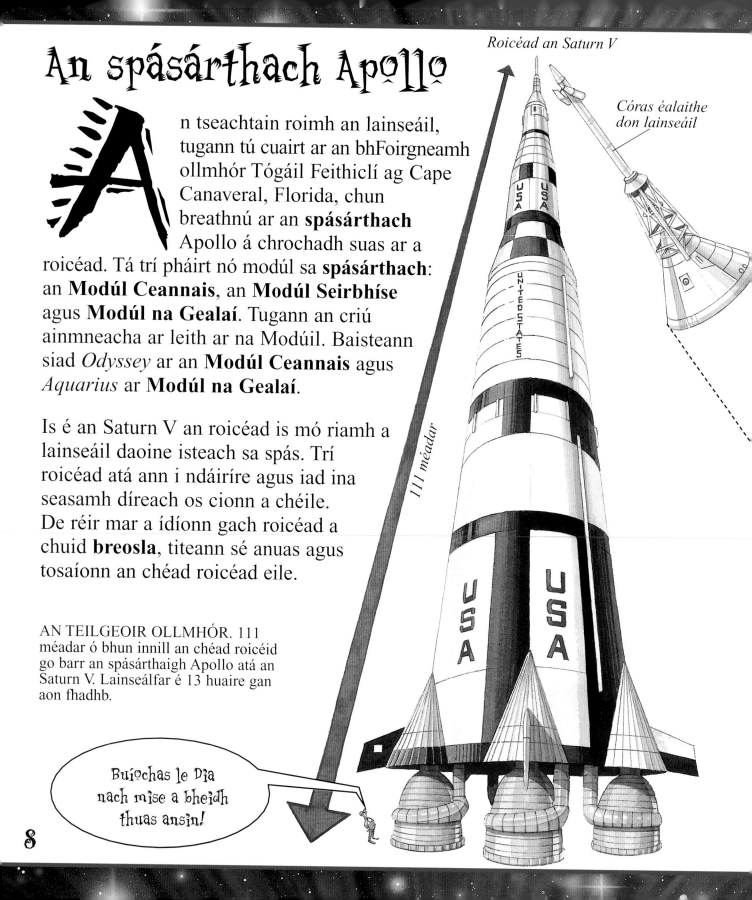

**A**n tseachtain roimh an lainseáil, tugann tú cuairt ar an bhFoirgneamh ollmhór Tógáil Feithiclí ag Cape Canaveral, Florida, chun breathnú ar an **spásárthach** Apollo á chrochadh suas ar a roicéad. Tá trí pháirt nó modúl sa **spásárthach**: an **Modúl Ceannais**, an **Modúl Seirbhíse** agus **Modúl na Gealaí**. Tugann an criú ainmneacha ar leith ar na Modúil. Baisteann siad *Odyssey* ar an **Modúl Ceannais** agus *Aquarius* ar **Modúl na Gealaí**.

Is é an Saturn V an roicéad is mó riamh a lainseáil daoine isteach sa spás. Trí roicéad atá ann i ndáiríre agus iad ina seasamh díreach os cionn a chéile. De réir mar a ídíonn gach roicéad a chuid **breosla**, titeann sé anuas agus tosaíonn an chéad roicéad eile.

AN TEILGEOIR OLLMHÓR. 111 méadar ó bhun innill an chéad roicéid go barr an spásárthaigh Apollo atá an Saturn V. Lainseálfar é 13 huaire gan aon fhadhb.

*Roicéad an Saturn V*

*Córas éalaithe don lainseáil*

111 méadar

USA

Buíochas le Dia nach mise a bheidh thuas ansin!

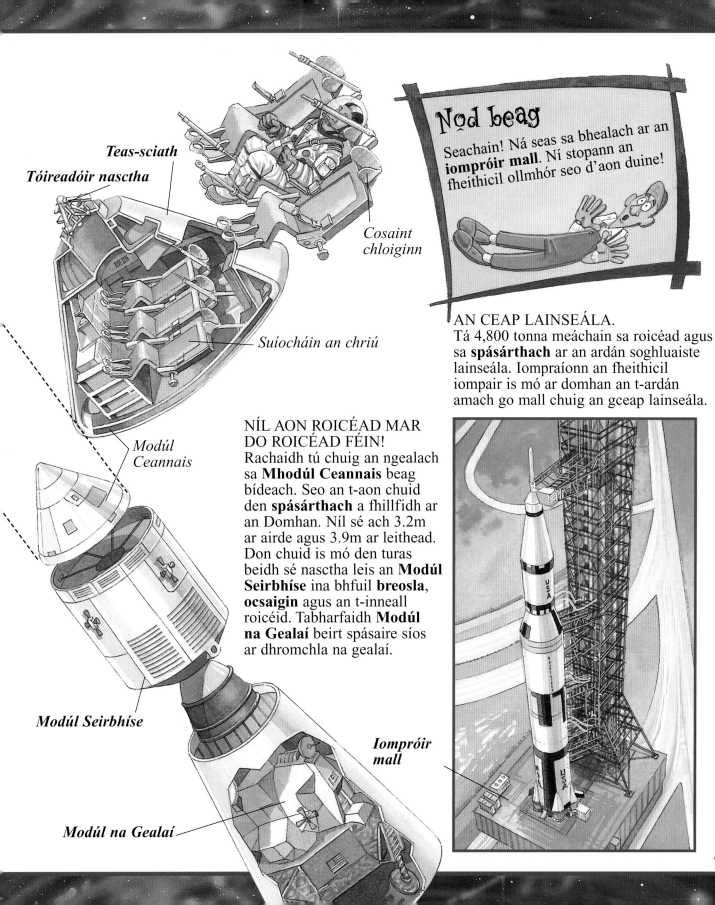

**Teas-sciath**

**Tóireadóir nasctha**

*Cosaint chloiginn*

*Suíocháin an chriú*

*Modúl Ceannais*

**Modúl Seirbhíse**

**Modúl na Gealaí**

*Iompróir mall*

## Nod beag

Seachain! Ná seas sa bhealach ar an **iompróir mall**. Ní stopann an fheithicil ollmhór seo d'aon duine!

## AN CEAP LAINSEÁLA.

Tá 4,800 tonna meáchain sa roicéad agus sa **spásárthach** ar an ardán soghluaiste lainseála. Iompraíonn an fheithicil iompair is mó ar domhan an t-ardán amach go mall chuig an gceap lainseála.

## NÍL AON ROICÉAD MAR DO ROICÉAD FÉIN!

Rachaidh tú chuig an ngealach sa **Mhodúl Ceannais** beag bídeach. Seo an t-aon chuid den **spásárthach** a fhillfidh ar an Domhan. Níl sé ach 3.2m ar airde agus 3.9m ar leithead. Don chuid is mó den turas beidh sé nasctha leis an **Modúl Seirbhíse** ina bhfuil **breosla**, **ocsaigin** agus an t-inneall roicéid. Tabharfaidh **Modúl na Gealaí** beirt spásaire síos ar dhromchla na gealaí.

9

# Lá na lainseála

## Éirí de thalamh

DÚISIGH! Cuirtear glaoch ort 4 huair a chloig agus 17 nóiméad roimh an lainseáil.

ABAIR AAA… Breathnaíonn an dochtúir ort 4 huair a chloig agus 2 nóiméad roimh an lainseáil le cinntiú go bhfuil tú i mbarr do shláinte.

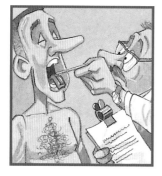

Tá lá na lainseála tagtha, an 11 Aibreán 1970. Tosóidh do thuras 400,000 ciliméadar chuig an ngealach faoi cheann cúpla uair an chloig. Fad is atá tusa agus an chuid eile den chriú ag réiteach le himeacht, tá foireann innealltóirí ag cinntiú go bhfuil an **spásárthach** agus an roicéad cumhachtach ullmhaithe duit. Ní féidir aon am a chur amú. Tá sceideal docht leagtha amach do gach rud, fiú amháin do do bhricfeasta! Tá méid áirithe ama agat chun é a ithe. Tá sé ródhéanach d'intinn a athrú anois!

BRICFEASTA. 3 huair a chloig agus 32 nóiméad roimh an lainseáil, itheann tú stéig, uibheacha, sú oráiste, caife agus tósta agus cuireann tú ort do chulaith spáis.

CAIPÍN SNOOPY. Tá cluasáin agus micreafón do chumarsáid raidió sa chaipín bog seo (4). Greamaíonn clogad mór cruinn (5) don chulaith agus greamaíonn miotóga do na fáinní miotail ag bun na muinchillí (6).

AG GLÉASADH DON GHEALACH. Cuireann tú ort na páirteanna éagsúla in ord ar leith. Greamaítear leictreoidí (1) do do chliabhrach chun monatóireacht a dhéanamh ar do chroí. Cuireann tú ort fo-éadaí (2) le muinchillí agus cosa fada. Ansin, ar deireadh, cuireann tú ort an chulaith spáis féin (3).

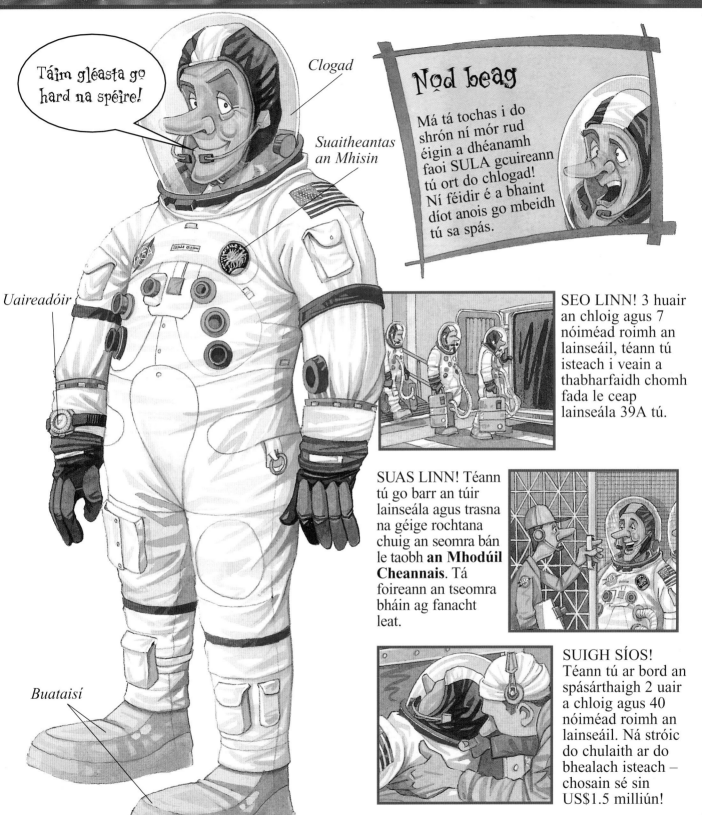

Táim gléasta go hard na spéire!

Clogad

Suaitheantas an Mhisin

Uaireadóir

Buataisí

## Nod beag

Má tá tochas i do shrón ní mór rud éigin a dhéanamh faoi SULA gcuireann tú ort do chlogad! Ní féidir é a bhaint díot anois go mbeidh tú sa spás.

SEO LINN! 3 huair an chloig agus 7 nóiméad roimh an lainseáil, téann tú isteach i veain a thabharfaidh chomh fada le ceap lainseála 39A tú.

SUAS LINN! Téann tú go barr an túir lainseála agus trasna na géige rochtana chuig an seomra bán le taobh **an Mhodúil Cheannais**. Tá foireann an tseomra bháin ag fanacht leat.

SUIGH SÍOS! Téann tú ar bord an spásárthaigh 2 uair a chloig agus 40 nóiméad roimh an lainseáil. Ná stróic do chulaith ar do bhealach isteach – chosain sé sin US$1.5 milliún!

11

# Éirí san Aer!

Tar éis an chomhairimh go náid, tosaíonn do thuras garbh suas trí atmaisféar an Domhain, isteach sa spás. Nuair a fhágann an roicéad an ceap lainseála is é 13:13 an t-am atá ar an gclog sa **Lárionad Rialaithe** i Houston, Texas! Tá íomhánna den roicéad ag ardú le feiceáil ar an scáileán mór sa Lárionad.

3 NÓIMÉAD, 7 SOICIND ROIMH ÉIRÍ DEN TALAMH. Tugtar an t-ordú lasta don roicéad Saturn V a thosaíonn an lainseáil.

8.9 SOICIND ROIMH ÉIRÍ. Lastar innill an chéad roicéid. Coinnítear an roicéad ceangailte don cheap lainseála go mbeidh na cúig inneall lasta.

NÁID. Éiríonn an Apollo 13 agus roicéad lainseála 3,000 tonna an Saturn V den cheap lainseála go deas réidh.

Tarlaíonn mí-ádh ón tús nuair a mhúchann ceann de na hinnill roicéid róluath. Go tobann ní fios an mbainfidh an Apollo 13 an spás amach ar chor ar bith. Coinníonn na hinnill eile ag imeacht, chun an **spásárthach** a bhrú chun cinn. Déanann na hinnealtóirí sa **Lárionad Rialaithe** cinnte go bhfuil dóthain **breosla** fágtha chun dul chomh fada leis an ngealach.

Nod beag

Déan cinnte go bhfuil tú ceangailte go docht i do shuíochán. Mura bhfuil, beidh tú ag preabadh ar fud **an Mhodúil Cheannais** mar a bheadh liathróid ann!

3 NÓIMÉAD, 20 SOICIND TAR ÉIS ÉIRÍ. Lasann roicéid **an chórais éalaithe don lainseáil** agus crochann siad leo an treischumhdach ó bharr an spásárthaigh.

2 NÓIMÉAD, 44 SOICIND TAR ÉIS ÉIRÍ. Titeann an chéad roicéad folamh agus 2 soicind ina dhiaidh sin lasann innill an dara roicéid.

9 NÓIMÉAD, 53 SOICIND TAR ÉIS ÉIRÍ. Titeann an dara roicéad folamh agus 3 soicind ina dhiaidh sin lasann innill an tríú roicéid.

12 NÓIMÉAD, 39 SOICIND TAR ÉIS ÉIRÍ. Tá an **spásárthach** slán, sábháilte sa spéir os cionn an Domhain. Anois ní mór seiceáil go bhfuil gach rud in ord.

# Slán Agaibh

Breathnaíonn gach rud i gceart agus tugtar cead duit inneall an tríú roicéid a lasadh agus d'aghaidh a thabhairt ar an ngealach. Ardaíonn an t-inneall do luas ó 28,000 ciliméadar san uair (km/u) go 40,000 km/u le himeacht ón **domhantarraingt**. Le linn do thuras chuig an ngealach, beidh jab an-tábhachtach le déanamh agat. Tá **Modúl na Gealaí** istigh i mbarr an roicéid, faoin **Modúl Ceannais agus Seirbhíse (CSM)**. Caithfear an **CSM** a scaradh ón roicéad agus é a chasadh thart ionas go mbeidh sé ábalta **Modúl na Gealaí** a tharraingt amach. Ní mór a bheith an-chúramach agus an-chruinn leis an tasc seo.

GO MALL, RÉIDH! Bogann na ceartaitheoirí roicéid an **spásárthach** chun cinn agus amach ó thríú roicéad an Saturn V (thuas).

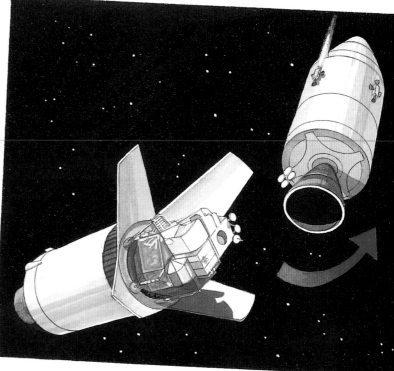

CASADH THART. Lastar na ceartaitheoirí arís chun an **spásárthach** a chasadh thart. Osclaíonn bun an roicéid mar a bheadh bláth ann. Tá **Modúl na Gealaí** istigh ann (thuas).

STIÚRADH. Stiúrann tú an **spásárthach** le rialaitheoirí láimhe a lasann na ceartaitheoirí roicéid ar an Modúl Seirbhíse.

Níl stró orm!

Nod beag

Má fhaigheann tú tinn, faigh mála go tapa nó beidh tú ag snámh thart i do chuid múisce féin sa **spásárthach** – feo!

Tóireadóir nasctha

TEAGMHÁIL. Bogann an **CSM** chun cinn agus teagmhaíonn sé le **Modúl na Gealaí** (thuas). Téann **tóireadóir** ón **CSM** isteach i bpoll ar bharr **Mhodúl na Gealaí** agus nascann siad le chéile.

GO DEAS RÉIDH. **Cúlaíonn an CSM** go mall agus tarraingíonn sé **Modúl na Gealaí** amach as an roicéad (thuas). Tarlaíonn gach rud gan stró. Tá tú ar do bhealach.

15

# An saol i gcanna stáin

**M**ar spásaire, mothaíonn tú go bhfuil tú i do chónaí i gcanna stáin beag bídeach. Caithfidh tú maireachtáil le beirt eile sa seomra sin ar feadh breis agus seachtain. Bíonn go leor torainn ann chomh maith. Ní bhíonn ciúnas le cloisteáil riamh. Tá fuaim ag teacht de shíor ó na caidéil aeir, ó na glórtha ar an raidió agus ón mbeirt eile ag bogadh timpeall. Tá an teocht ag 22°C agus is féidir leat an chulaith mhór mhístuama spáis a bhaint díot agus do chulaith eitilte a chaitheamh. Mar gheall ar an dímheáchan tá tú ábalta snámh thart ar fud an spásárthaigh.

BIA SPÁIS. Tá formhór an bhia atá agat anseo triomaithe chun breis meáchain a sheachaint sa **spásárthach** (ar chlé). Cuireann tú uisce leis chun é a ithe.

AN LEITHREAS. Tagann go leor múin as triúr spásaire. Chun breis meáchain ar an **spásárthach** a sheachaint, caitear amach thar bord é (ar dheis).

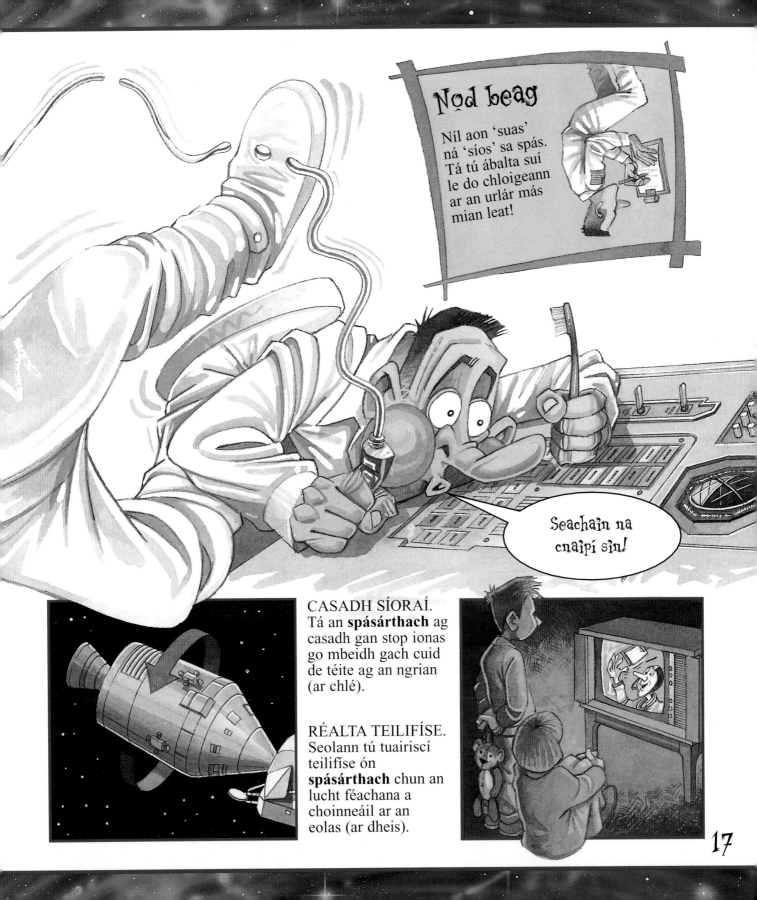

Nod beag

Níl aon 'suas'
ná 'síos' sa spás.
Tá tú ábalta suí
le do chloigeann
ar an urlár más
mian leat!

Seachain na cnaipí sin!

CASADH SÍORAÍ.
Tá an **spásárthach** ag
casadh gan stop ionas
go mbeidh gach cuid
de téite ag an ngrian
(ar chlé).

RÉALTA TEILIFÍSE.
Seolann tú tuairiscí
teilifíse ón
**spásárthach** chun an
lucht féachana a
choinneáil ar an
eolas (ar dheis).

17

# Houston, tá fadhb againn

Ar an 13 Aibreán, tá an Apollo 13 329,000 ciliméadar ón Domhan. Tá cuma níos mó ar an ngealach gach lá. Iarrann an **Lárionad Rialaithe** ort na gaothráin a chasadh air in umair **ocsaigine** an **Mhodúil Seirbhíse**. A luaithe is a bhrúitear an lasc, cloiseann tú pléasc mhór. Breathnaíonn tú le heagla ar do chuid uirlisí. Tá ocsaigin agus cumhacht leictreach ag imeacht as an **spásárthach**. Cuireann an méid atá le feiceáil ar a gcuid ríomhairí uafás ar na rialtóirí misin sa bhaile.

## Tarlaíonn tubaiste

1. AN CROITHEADH. Cloiseann tú pléasc agus baintear croitheadh mór as an **spásárthach**. Ceapann tú gur bhuail carraig sa spás é.

18

PRÍOMHALÁRAM

2. BUAILEANN aláraim sa **spásárthach** agus sa **Lárionad Rialaithe**. Breathnaíonn tú ar na huirlisí.

Nod beag

Coinnigh do mhisneach! Má tharlaíonn tubaiste, tóg go réidh é nó beidh cúrsaí i bhfad níos measa.

3. CÉARD ATÁ AG TARLÚ? Ceapann na **rialtóirí misin** go bhfuil rud éigin cearr leis na ríomhairí. Níl aon chiall leis an méid atá ar an scáileán.

4. SCEITHEADH GÁIS. Breathnaíonn tú amach agus feiceann tú **ocsaigin** ag sileadh as an **spásárthach**!

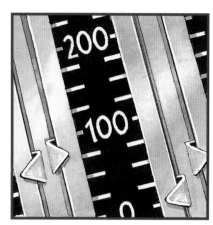

5. EASPA CUMHACHTA. Feiceann tú ó na huirlisí go bhfuil an chumhacht ag imeacht as an **Modúl Ceannais**.

6. AMACH LEAT! Casann tú as an **Modúl Ceannais** go tapa agus bogann tú isteach i **Modúl na Gealaí** chun an t-aer agus an leictreachas ann a úsáid.

PLÉASC!!

CÉARD A THARLA? Níos déanaí, faightear amach gur phléasc umar **ocsaigine** de bharr fabht leictreachais agus rinneadh dochar don trealamh sa **Mhodúl Seirbhíse**.

# Ná clis orthu!

a **Lárionad Rialaithe**, deir an stiúrthóir eitilte le gach duine go gcaithfidh siad bealach a aimsiú chun an criú a thabhairt abhaile. Fógraíonn sé, "Ná clis orthu!" Tosaíonn na rialtóirí misin agus na hinnealtóirí á phlé láithreach. Tá cuid acu ag iarraidh an **spásárthach** a chasadh timpeall agus é a thabhairt ar ais abhaile. Tá cuid eile acu ag iarraidh go leanfaidh sé leis an turas agus go gcasfaidh **imtharraingt** na gealaí timpeall é chun a bhealach a dhéanamh abhaile. Thógfadh an rogha sin níos faide agus ní bheadh an oiread contúirte ag baint leis. Níl a fhios ag aon duine áfach an mairfidh **ocsaigin** agus leictreachas an spásárthaigh sách fada. Impíonn tú ar an **Lárionad Rialaithe** cinneadh a thabhairt duit ach tá siad fós idir dhá chomhairle.

## Rogha a haon

Casann an **spásárthach** thart agus tagann sé díreach abhaile. Bheadh tú sa bhaile go tapa ach bheadh inneall an **Mhodúil Seirbhíse** le lasadh agat. D'fhéadfadh sé pléascadh.

Nod beag

Coinnigh súil ghéar ar na huirlisí. Insíonn siad duit céard atá ag tarlú sa chuid eile den **spásárthach**, go háirithe na páirteanna sin nach féidir leat a fheiceáil.

Sin iad na roghanna atá againn, a chairde. Anois, tabharfaimid abhaile iad.

## Rogha a dó

Tugann na rialtóirí misin treoir dul chuig an ngealach agus casadh thart ansin. Úsáidfidh tú **Modúl na Gealaí** chun fanacht ar an gcúrsa ceart. Níl a fhios ag aon duine an oibreoidh an plean seo.

# Fuar, fliuch agus fáiscthe

astar as na téiteoirí sa **spásárthach** chun an leictreachas a spáráil. Titeann an teocht go beagán os cionn an reophointe. Tá an t-uisce ó d'anáil le feiceáil ar na huirlisí fuara, ar na ballaí agus ar na fuinneoga. Tá gach rud fliuch. Tá sé dorcha freisin mar go bhfuil formhór na soilse múchta. Tá an áit an-bheag agus an-phlúchta.

Tá Modúl na Gealaí sách mór do bheirt spásairí, ní do thriúr. Mar gheall air sin, níl dóthain aer úr ann. Tá léibhéal contúirteach **dé-ocsaíd charbóin** sa Mhodúl ó anáil na spásairí. Má ardaíonn sé mórán eile, titfidh tú i laige agus beidh tú gan aithne, gan urlabhra. Caithfear rud éigin a dhéanamh.

## Réiteach cliste

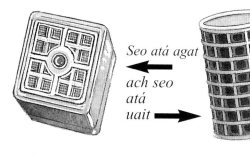

*Seo atá agat*

*ach seo atá uait*

TÁ **IONTÓIRÍ AEIR** agat chun an t-aer a ghlanadh, ach tá siad cearnógach agus tá na poill ciorclach. Éiríonn leat iad a chur in áit áfach le píosaí píobáin, téip, málaí plaisteacha agus bandaí rubair (ar dheis). Oibríonn sé! Titeann an leibhéal dé-ocsaíd charbóin san aer.

## Fuílleach fuail

Tá sé chomh deacair smacht a choinneáil ar an **spásárthach** faoin tráth seo go mbíonn ort stop a chur le mún a scaoileadh amach sa spás mar go gcuireann sé an **spásárthach** dá chúrsa ceart. Bíonn ort an mún a choinneáil ar bord i málaí plaisteacha!

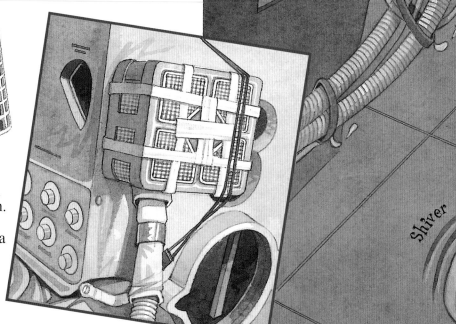

Shiver

# Misean amú

Dá mbeadh gach rud tarlaithe mar a bhí beartaithe bheadh páirt den ghealach ar a dtugtar Fra Mauro sroichte ag an Apollo 13. Thuirling an Apollo 11 agus 12 i Muir na Sáimhe agus in Aigéan na Stoirmeacha. Bhí an talamh ansin mín mar go raibh sé brataithe le **laibhe**. Bhí na heolaithe ag iarraidh samplaí de chlocha níos sine, ó na cnoic agus ó na sléibhte nach raibh clúdaithe le laibhe. Tá sé i bhfad níos deacra tuirlingt sna háiteanna sin. Léirigh na misin a chuaigh roimhe seo go bhféadfadh na spásairí Modúl na Gealaí a eitilt agus spota sábháilte le tuirlingt a roghnú iad féin. Bhí sé beartaithe go dtuirlingeodh an *Aquarius* ón Apollo 13 sna cnoic ar Fra Mauro.

CULAITH SPÁIS. Tá miotóga agus buataisí láidre, chomh maith le scáthlán don chlogad, mar chuid den chulaith spáis (ar dheis) a bheadh ort ar an ngealach. Bheadh mála droma ort freisin le hocsaigin agus raidió.

## Dá mbeadh gach rud i gceart...

CARRAIGEACHA GEALAÍ. Bheadh go leor acu seo bailithe agat agus iad tugtha abhaile leat.

TÁSTÁIL TEASA. Bheadh poill druileáilte agat chun gluaiseacht teasa dhromchla na gealaí a thástáil.

Nod beag

Ná tit siar ar do dhroim nó beidh tú i dtrioblóid. Ní bheadh tú ábalta éirí mar gheall ar **imtharraingt** íseal na gealaí.

Is deas an radharc é!

GRIANGHAOTH. Bheadh samplaí de seo bailithe agat – gluaiseann **gráinníní** ón ngrian agus buaileann siad an ghealach.

GRIANGHRAF-ADÓIREACHT. Bheadh na mílte grianghraf tógtha agat de dhusta, clocha agus cráitéir.

CREATHANNA GEALAÍ. Bheadh uirlisí curtha ar dhromchla na gealaí agat chun creathanna gealaí a aithint.

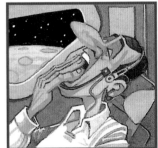

SPÁSAIRE UAIGNEACH. Fad is a bheadh beirt spásaire ar an ngealach bheadh an duine eile sa Mhodúl Ceannais.

25

# Ag dul abhaile

**F**aigheann tú treoir nua ón **Lárionad Rialaithe**. Caithfidh tú inneall roicéid Mhodúl na Gealaí a lasadh le dul síos. Má oibríonn sé, cuirfidh sé timpeall na gealaí tú agus ar ais abhaile. Ní chuige sin a tógadh an t-inneall ach chun tuirlint ar an ngealach. Caithfear an t-inneall a lasadh sula sroichfidh tú an ghealach agus arís díreach tar éis duit teacht amach ó chúl na gealaí. Fad is a bheidh tú ar chúl na gealaí ní bheidh aon teagmháil agat leis an **Lárionad Rialaithe**. Má tharlaíonn aon rud, ní bheidh aon chabhair ann duit.

*Modúl na Gealaí*

*An Modúl Ceannais agus Seirbhíse (CSM)*

AR BÍS. Nuair a théann an **spásárthach** ar chúl na gealaí tá gach duine sa **Lárionad Rialaithe** ag súil go ndeachaigh gach rud i gceart nuair a lasadh an t-inneall.

RADHARC ÁLAINN! Breathnaíonn tú amach as fuinneoga **Mhodúl na Gealaí** agus tú ag eitilt os cionn Fra Mauro. Imíonn an Domhan as amharc agus tú ag eitilt ar chúl na gealaí.

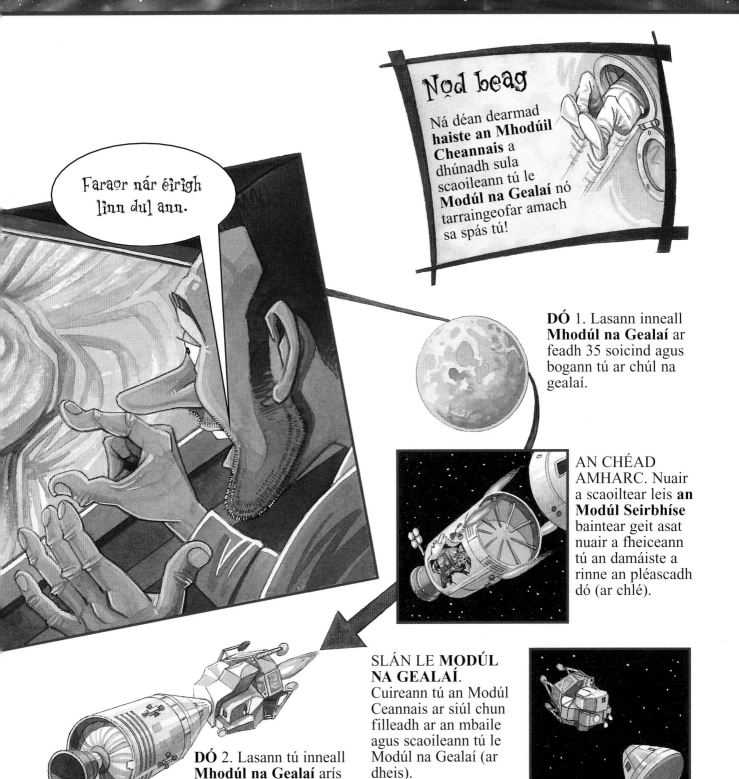

## Nod beag

Ná déan dearmad **haiste an Mhodúil Cheannais** a dhúnadh sula scaoileann tú le **Modúl na Gealaí** nó tarraingeofar amach sa spás tú!

Faraor nár éirigh linn dul ann.

**DÓ** 1. Lasann inneall **Mhodúl na Gealaí** ar feadh 35 soicind agus bogann tú ar chúl na gealaí.

AN CHÉAD AMHARC. Nuair a scaoiltear leis **an Modúl Seirbhíse** baintear geit asat nuair a fheiceann tú an damáiste a rinne an pléascadh dó (ar chlé).

SLÁN LE **MODÚL NA GEALAÍ**. Cuireann tú an Modúl Ceannais ar siúl chun filleadh ar an mbaile agus scaoileann tú le Modúl na Gealaí (ar dheis).

**DÓ** 2. Lasann tú inneall **Mhodúl na Gealaí** arís ar feadh 4 nóiméad chun tapú ar ais abhaile (thuas).

27

# Síos linn arís

Tá tú gar don bhaile ach tá an chuid is contúirtí den mhisean fós romhat – ag briseadh trí atmaisféar an Domhain arís. Ní mór don **spásárthach** a bheith casta an bealach ceart sula ndéanfaidh sé teagmháil leis an atmaisféar. Mura mbeidh, caithfear ar ais sa spás é nó dófaidh sé.

Tá an **teas-sciath** lasta te agus níl idir tusa agus an teas taobh amuigh ach é. Faigheann an t-aer timpeall ar an **spásárthach** chomh te sin nach féidir leis na tonnta raidió briseadh tríd. Níl aon teagmháil idir tú agus an **Lárionad Rialaithe**. Níl a fhios acu ar beo nó marbh atá tú.

RÓTHANAÍ.
Má bhuaileann an **spásárthach** an t-atmaisféar ar uillinn róthanaí, preabfaidh sé ar ais sa spás.

RÓGHÉAR.
Má bhuaileann an Modúl Ceannais an t-atmaisféar ar uillinn róghéar, gheobhaidh sé róthe agus dófaidh sé.

**PARAISIÚIT**. Titeann **an Modúl Ceannais** trí na scamaill agus osclaíonn trí pharaisiút os a chionn.

Nod beag

Tá tú sa bhaile ach ná bac leis na barróga. Ní raibh cith agat le seachtain agus tá boladh bréan uait!

**FÁILTE ABHAILE.** Tagann tú amach as an héileacaptar ar bord **na loinge tarrthála** agus crochann tú lámh ar na ceamaraí.

"13 ANSEO". Tá gach duine sa **Lárionad Rialaithe** ríméadach nuair a thagann do ghlór chucu ar an raidió (thuas).

SPLEAIS. Cuirtear uisce in aer nuair a bhuaileann an modúl an fharraige le teannadh. Tá tú slán sábháilte.

TUMADÓIRÍ TAGTHA. Tugann tumadóirí cúnamh duit dul isteach sa héileacaptar tarrthála.

29

# Foclóirín

**An Lárionad Rialaithe** An foirgneamh ina ndéantar monatóireacht agus bainistiú ar eitiltí spáis.

**Breosla** Stuif a dhónn inneall chun é féin a choinneáil ag imeacht m.sh. peitreal i gcarr.

**Ceartaitheoir** Inneall beag roicéid a úsáidtear chun treo an spásárthaigh a athrú sa spás.

**Córas éalaithe don lainseáil** Roicéad a thugann chun bealaigh an Modúl Ceannais i gcás éigeandála le linn lainseála.

**CSM** An Modúl Ceannais agus Seirbhíse, spásárthach ina bhfuil an Modúl Ceannais agus Seirbhíse nasctha le chéile.

**Dé-ocsaíd charbóin** Gás a thagann amach in anáil daoine.

**Dó** Lasadh gearr an innill roicéid chun an spásárthach a chur ar mhalairt slí.

**Domhantarraingt** An fórsa a tharraingíonn gach rud i dtreo phláinéad an Domhain.

**Gráinnín** Píosa beag bídeach de rud éigin.

**Haiste** Doras i spásárthach.

**Imtharraingt** An fórsa a tharraingíonn gach rud i dtreo réada ollmhór cosúil le pláinéad nó gealach.

**Iompróir mall** An fheithicil ollmhór a thugann roicéid Saturn V ón bhfoirgneamh cóimeála go dtí an ceap lainseála.

**Ionsamhaltóir** Meaisín atá cosúil le feithicil, ar nós spásárthach, chun píolótaí a thraenáil.

**Iontóirí aeir** Glanann siad an t-aer trí ábhar salaithe a bhaint amach as.

**Laibhe** Carraig leáite a thagann amach le sruth ar dhromchla pláinéid nó gealaí.

**Long tarrthála** Long a théann chomh fada leis an áit a thuirlingíonn spásárthach chun an criú a thabhairt abhaile.

**Modúl Ceannais** An chuid den spásárthach ina maireann na spásairí.

**Modúl na Gealaí** An chuid den spásárthach a thuirlingíonn ar an nGealach.

**Modúl Seirbhíse** An chuid den spásárthach a chuireann ocsaigin, uisce, leictreachas agus cumhacht roicéid ar fáil don Mhodúl Ceannais.

**Ocsaigin** Gás a theastaíonn ón duine chun análú. Úsáideadh é chun uisce agus leictreachas a dhéanamh ar an spásárthach Apollo.

**Rialtóirí misin** Daoine in Cape Canaveral atá ag caint ar an raidió le Apollo 13, ag cabhrú leo an t-am ar fad.

**Spásárthach** Spáslong, meaisín a eitlíonn tríd an spás.

**Teas-sciath** An chuid den spásárthach a chosnaíonn é ón teas agus é ag filleadh ar an Domhan.

**Tóireadóir nasctha** An chuid den spásárthach a cheanglaíonn an Modúl Ceannais le Modúl na Gealaí.

# Innéacs